JN041254

物語のかたり方入門

〈ナラティブ〉を魅力的にする25の方法

エイミー・ジョーンズ 著　山田 文 訳

創元社

父と母に捧ぐ

興味のある方には以下の本をおすすめする。レーモン・クノー『文体練習』、ジェラール・ジュネット『物語のディスクール 方法論の試み』(水声社)、ウィル・ストー『The Science of Storytelling』、シーモア・チャットマン『ストーリーとディスコース 小説と映画における物語構造』(水声社)、ジェシカ・ペイジ・モレル『Between the Lines: Master the Subtle Elements of Fiction Writing』、ロバート・マッキー『ダイアローグ 小説・演劇・映画・テレビドラマで効果的な会話を生みだす方法』(フィルムアート社) など。〔訳注：本書に登場する作品名 (書物・映画) は、邦訳があるものは邦題を、ないものは原題を記してある。また、邦訳の引用には適宜ルビをつけた〕

ナラトロジー(物語論)の理論

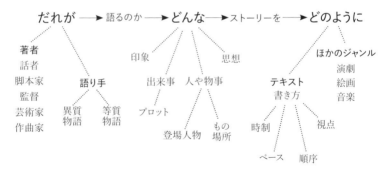

語りの科学である**ナラトロジー**とは、上の図に示したとおり単純なひとつの問いにまとめられる。**だれがどんな物語をどのように語るのか？** (Manfred Jahn, *A Guide to the Theory of Narrative*, University of Cologne, 2021 による)

もくじ

はじめに

ス トーリーをつくることと、それを語ることは別物だ。本書で取りあげるのはナラティブの方法、つまりプロットを物語としてうまく語る技術である。このあとのページでは、世界のひときわすぐれた語り手たちが数百年にわたって発展させ、使いこなしてきたナラティブの方法を幅広く検討する。作者はすべての章のすべてのページで最善の方法を選択し、場面を語らなければならない。目的にかなった視点と焦点<ruby>焦点<rt>フォーカス</rt></ruby>を慎重に選び、読者、聴衆、観衆を登場人物と物語の世界にひきこむ必要がある。

　本書ではストーリーの語り方を扱うが、ストーリーとプロットを組み立てて磨く技術については、姉妹編『物語のつむぎ方入門』で説明している。あわせてお読みいただきたい。

　ナラティブの流行は移り変わる。ヘンリー・フィールディング『トム・ジョウンズ』(1749年) など、最初期の長篇小説は三人称の視点で書かれていたが、『フランケンシュタイン』(1818年) のメアリー・シェリーや『ジェーン・エア』(1847年) のシャーロット・ブロンテなど19世紀の作家は、登場人物の個人的な書簡や一人称の視点を用いて読者を登場人物へ近づけた。20世紀はじめには、ジェイムズ・ジョイスやヴァージニア・ウルフといった作家が主人公の意識の流れをそのまま描き、読者をいっそう登場人物へ接近させる。

　語り手の視点も変化し、成人男性のヒーローに加えて子ども、女性、動物、植物、悪役、さらにはエイリアンまで、さまざまな視点からストーリーが語られるようになった。

　ナラティブのスタイルをめぐる数々の重要な決断によって、作品の性質が最終的に決まる。よく知られているように、ジャック・ケルアック [1922–1969] はこう書いている。

　　　　　何を書くかじゃなくて、どう書くかだ。

ナラティブ状況
シチュエーション

ひとつかたくさんか

この短い本では、物語を語る際に作者に求められる4つの選択を見る。

1. **だれがストーリーを語るのか？**
   * **語り手**はだれ？
   * 語り手は**離れた場所**にいる？　それとも**登場人物**としてストーリーのなかにいる？
   * 語り手の**声**は？
   * 語り手は**ひとり**？　それとも**複数**？

2. **だれがストーリーを見届けるのか？**
   * **視点人物**はだれ？　読者はだれの視点を追えばいい？
   * 読者は視点人物の思考と行動のどれほど近くにいる？　**距離**は？
   * 視点人物はひとり？　ふたり？　3人？　もっと**たくさん**？

3. **どのようにストーリーを語るのか？**
   * そのまま語る？　それとも別の物語のフレームのなかで語る？
   * 何かほかのナラティブの仕掛けを使う？

4. **どのような様式でストーリーを語るのか？**
   * さまざまな様式のあいだでバランスをとって語る？　それともひとつの様式を優先する？
   * どの様式でストーリーをはじめる？

語り手の技術の核をなすこれらの要素をひとつにまとめたのが、**ナラ**

ティブ状況である。1冊の本のどの場面でも、これが最初のページから作品を特徴づける。ひとつの作品にさまざまなナラティブ状況が含まれることもあり、たとえば一人称の語り手が複数いたり、一人称と三人称のスタイルが混在したりすることもある。日記や書簡といった書き物を用いることもある。時間を行き来したり時制が変わったりすることもある。視点人物が複数いることもあり、既存のナラティブ状況からほかの登場人物の視点に変わることもある。

　ナラティブ状況を巧みにつくりあげることで、読者の関心、登場人物のおもしろさ、ストーリーの動きが保たれる。普通なら馬鹿馬鹿しく感じられたり、ありえないと思えたりする出来事が自然に展開する一方で、当然のことはわざわざ触れられなくても自明視される（いちいち語られなくても、読者は登場人物たちが毎日寝起きしていると知っている）。

　それぞれのアプローチに独自の効果がある。どれを選ぶかは作品のトーン、人物造形、ペース、サスペンス、その他の要因において作者が何をしたいかによる。駆け出しの作家はさまざまなナラティブの形式を試し、自分のスタイルに最も自然に合うものを見つけるといい。

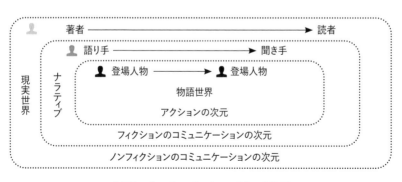

ナラティブ・コミュニケーションの3つの次元

だれがストーリーを語るのか？
語り手

古代ではストーリーを語るのに語り部が求められた。現在でもフィクション作品では、読者や視聴者と作者のあいだに**語り手**（ナレーター）が必要だ。表に出ていることもあれば隠れていることもあるが、語り手は独自の**声**（語り口）をもち、**ナラティブ**（物語）を**聞き手**（ナラティー）——語り手が語りかけていると想定する想像上の人物——に伝える。

> 語り手とはこんな存在だとも考えられる。一種の登場人物のような存在、すなわち目に見えない暗黙の登場人物であり、わたしたちがアクセスできるナラティブの情報をかたちづくり、ふるいにかけ、整理して、提示する。（マイケル・フィリモウィッチ）

語り手にはさまざまな種類がある。アクション〔ストーリーを前進させる行為〕の外側にいることもあれば、その一部であることもある。1冊の本にひとりしかいないこともあれば、ふたり以上いることもある（6ページの図を参照）。しかし基本的なタイプが3つある。

異質物語　語り手は登場人物ではないが、ストーリーを知っている。〔従来、「三人称小説」と呼ばれていたもの〕

等質物語　語り手はストーリーの一部である。〔多くの場合〈わたし〉という一人称が語り手である。従来、「一人称小説」と呼ばれていたもの〕

自己物語　語り手が主人公として行動する。

1813年の長篇小説『高慢と偏見』の冒頭では、異質物語の語り手と聞き手がたちまち時間、場所、階級のなかに位置づけられる。

> 独身の青年で莫大な財産があるといえば、これはもうぜひとも妻が必要だというのが、おしなべて世間の認める真実である。（ジェーン・オースティン『高慢と偏見』1813年、小尾芙佐訳）

読者はすぐに摂政時代〔18世紀末～19世紀の初頭〕のゴシップへいざなわれ、

語り手エリザベス・ベネットの身近な同輩になって、登場人物たちの生活に引きずりこまれる。この虚構空間は**物語世界**と呼ばれることもある。これは認知的ナラトロジーの研究者デイヴィッド・ハーマンがつくったことばであり、具体的なナラティブと語り手がつくりあげた想像上の現実全体の両方を指す。

　舞台や映画で役を演じる俳優のように、作家は語り手の姿を借りて出来事の解釈を示す。ナラティブの声は説得力ある個人の口から出る必要があり、そのさまざまな特徴——個人的な偏り、欠点、価値観、知性、方言など——が語り手の性質の一部であることが読者に伝わらなければならない。たとえば次にあげるディケンズの異質物語の語りのように、アクションの外からの語りでもそれは同じである。

> 外が暑かろうが寒かろうが、スクルージには無縁だった。日差しからぬくもりを得ることもなければ、冬の寒さに震えることもない。どんな風よりも辛辣で、降りしきる雪よりも執念深く、土砂降りの雨よりも冷酷だ。どんな悪天候も、スクルージには太刀打ちできなかった。激しい雨や雪や雹や霙《ひょう　みぞれ》がスクルージにまさると自慢できることがあるとすれば、それはたったひとつ。しばしば惜しみなく訪れることで、それはスクルージにはありえなかった。（チャールズ・ディケンズ『クリスマス・キャロル』1843年、越前敏弥訳）

　次にあげるトウェインの自己物語のナラティブのように、方言俗語などを駆使する「スカズ」と呼ばれるスタイルもしかりである。

> （…）だって本を作るのがどんなに面倒かわかってたら、やってみようなんて思わなかったし、これからも二度とやる気はねえから。おいら、みんなより一足先にここをずらかってインジャン・テリトリーに行こうと思ってる。ってのは、サリーおばさんがおいらを養子にしてちゃんとした人間にするんだって言いだして、おいら、そうなっちゃたまんねえから。（マーク・トウェイン『ハックルベリー・フィンの冒険』1884年、土屋京子訳）

全知の三人称
わたしたちの物語がはじまる

　全知の三人称は、おそらく書きことばの英語元来のナラティブの声である。伝統あるこの様式では、異質物語の語り手はアクションから完全に切り離されていて、「彼は」「彼女は」「彼女の」「彼の」「彼らは」「彼女らの」といった三人称の代名詞を使ってストーリーの展開を語る。この技法は、たとえば6世紀ごろに書かれた古英語の叙事詩『ベーオウルフ』などの古いテキストにも見られる。

> 戦士たち喜びに満ち歓楽の日々を過ごした／やがて一つの物の怪が地獄の悪鬼が／悪しき行為に取りかかる／この猛き悪霊　名はグレンデル／悪名知られ辺界を渡り行くもの／荒野を治め砦とす／幸せ薄きこの者はカインの血筋同族として／造物主より呪われて以来久しく妖怪の住処に住まう（枡矢好弘訳）

それから時を経て、トルストイによる1869年の傑作『戦争と平和』でも同じ技法が用いられている。

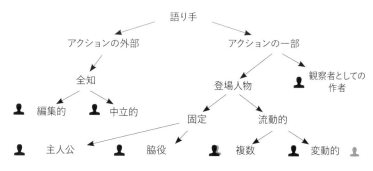

さまざまな種類の語り手

このとき客間に新しい人物が入ってきた。アンドレイ・ボルコンスキー若公爵、すなわち小柄な公爵夫人の夫である。ボルコンスキー公爵は背の低いすこぶる美男の青年で、目鼻立ちのはっきりとした冷ややかな顔をしていた。疲れたような、退屈そうな眼付きから、静かな規則正しい歩き方まで、姿かたちのどこをとっても、小柄で活気に満ちたその妻の正反対であった。(望月哲男訳)

　神の視点をもつ全知の語り手は、登場人物から登場人物へ飛ぶことができる。登場人物たちの目、心、頭に自在に出入りして、さまざまな部屋、国、章、エピソードのあいだを行き来し、プロットの出来事を追い、さまざまなことにコメントしながら、中立的な声や個人的で人をひきつけるスタイルで読者をそっと導いていける。次にあげるのは、ウィリアム・メイクピース・サッカリーが1848年に書いた『虚栄の市』からの抜粋である。

　　その間、ラッセル・スクウェアのアミーリアは、静まりかえった広場の上に輝く月を眺め、この月はオズボーン中尉の宿営するチャタムの兵舎も照らしていることだろうと思いながら、ひとり、彼女の恋人に

ついてとりとめのないことを考えていた。あの人は今ごろ歩哨の巡視をしているのかしら、それとも露営しているのかしら、いや、負傷した戦友のベッドの傍らに付き添っているのかもしれない、寂しい一人だけの部屋で戦術の勉強でもしているのかもしれない……。そんなふうに、彼女の優しい心は翼の生えた天使のように空を駆け抜け、川に

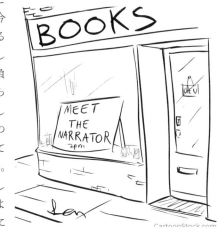

沿ってチャタムとロチェスターのほうへ飛んでいき、ジョージのいる兵舎の中を覗き込もうとしたのだった。

　　諸般の事情を考慮するに、兵営の門がすべて閉ざされ、歩哨が誰一人そこを通そうとしなかったのは、かえって好都合だったのではなかろうか。というのは、そのおかげで、白い服を着た可愛い天使は、若い将校たちがウイスキーパンチを飲みながらがなり立てている歌を聞かずに済んだのだから。(中島賢二訳)

　全知の視点は19世紀の作家のほとんどが用いたスタイルであり、サブプロット、複雑な筋、**劇的アイロニー**（登場人物の言動の意味が読者にはすべてはっきりわかっているが、本人たちにはわかっておらず、登場人物たちの意に反した結果につながること）にうってつけである。著者の視点が絶えず動くこのスタイルは、いまではほぼ時代遅れになっている。

　全知の三人称の親類にあたるのが、**客観の三人称**である。ここでは語り手は距離を保ち、登場人物の思考や感情にはアクセスできない。アーネスト・ヘミングウェイが1927年の短篇できわめて効果的にこれを用いている。

　　アメリカ人と連れの若い女は駅舎の影に作られたテーブル席にすわっていた。ひどく暑く、バルセロナからの急行は、40分後に着く予定だった。急行はこの連絡駅に2分間停車し、それからマドリードに向かうはずだった。

　　「何を飲めばいいの？」女は言った。彼女はいま帽子をかぶっていなかった。テーブルの上に置いていた。

　　「とんでもなく暑いな」男が言った。

　　「ビールを飲みましょう」

　　「ビールをふたつ」男は竹のカーテンの奥に向かって声を張りあげた。

　　「大きいのをふたつ？」戸口に現れた女が尋ねた。

　　「そうだ、大きいのをふたつ」(アーネスト・ヘミングウェイ「白い象のような山並み」西崎憲訳)

焦点を絞った三人称

その人の個人的な経験

　焦点を絞った三人称のナラティブ（**近い三人称**）は、ひとりの登場人物の経験に即してストーリーを語る。読者はその人物の思考パターン、性格、反応を共有し、視点がつぎつぎと変わる全知の形式のときより登場人物とはるかに密接につながる。以下は作家のアーシュラ・ル＝グウィンによる概説。

> 語られるのは、視点人物の知ること、感じること、わかること、思うこと、考えること、期待すること、思い出せることなどだけだ。そして読者ができるのは、他者の振るまいに対するその視点人物の観察内容のみを手がかりに、他者の感覚やその人となりを推測することである。（『文体の舵をとれ』1998年、大久保ゆう訳）

　Ｊ・Ｋ・ローリングの『ハリー・ポッター』は7作すべてが近い三人称で綴られていて、すべての場面が主人公ハリー・ポッターの**視点**から書かれている。

> 「起きるんだよ！」と金切り声がした。
> 　おばさんがキッチンの方に歩いていく音、それからフライパンをコンロにかける音がした。仰向けになったままで、ハリーはいままで見ていた夢を思い出そうとしていた。いい夢だったのに……。空飛ぶオートバイが出てきたっけ。ハリーは前にも同じ夢を見たような不思議な心地がした。（『ハリー・ポッターと賢者の石』第2章「消えたガラス」2001年、松岡佑子訳）

　ヒラリー・マンテルが2010年に発表して数々の賞を受けた長篇小説『ウルフ・ホール』は、全篇を通して主人公トマス・クロムウェル〔1485-1540年。ヘンリー8世の側近政治家〕に焦点を合わせている。冒頭はいきなり次のようにはじまる。

『ゲーム・オブ・スローン』の各章の視点となる人物

海峡の向こう　1500年
「さあ立て」
　殴られて気が遠くなり、声もなく彼はひっくりかえった。中庭の敷石の上に長々と。首をまわし、助けを求めるかのように、目玉を門のほうへ上向ける。今、狙いすました一発が入ったら、死んでしまうだろう。（宇佐川晶子訳）

　複数の三人称のナラティブは、ふたり以上の登場人物に焦点を合わせる。『アンナ・カレーニナ』、『ボヴァリー夫人』、『虚栄の篝火』などがその例だ。1996年のベストセラー小説『ゲーム・オブ・スローンズ』でジョージ・R・R・マーティンは8人の登場人物の目を通してストーリーを焦点化していて、全72章のそれぞれで視点を切り替えている（上の章一覧を参照）。

　焦点を絞った三人称を使えば、登場人物が気づいていない脅威や意外な展開を読者に隠しておくことができ、緊張感を生みだせる。作者は登場人

物の視点にズームインもズームアウトもでき、三人称の客観性を保ちながら深い人物造形ができる。しかし、ほかの登場人物の造形に限界がもうけられることもある。

広く普及したこの方法を使うには、いくつかコツがある。視点人物（たち）は慎重に選ぶこと——選ばれて当然の人物がふさわしいとはかぎらない。登場人物が使いそうにないことばや常套句は使わないこと。登場人物に推測の余地を残し、読者とのあいだにつながりとサスペンスをつくるようにすること。登場人物との**距離**を意識すること（28ページを参照）。作者は登場人物の頭のなかにいる？　背後にいる？　やや離れたところにいる？　ナラティブの声は、レポーターの声のように控え目で中立的にしておくこと。語らずに見せること。「彼女は驚いた」と書くのではなく、「彼女の目が見ひらかれた。笑顔になり、驚きに首を左右に振った」と書いてみる。場面の途中で視点を変えないこと！

周縁にいる一人称
わたしはすべてを見た。語らせてほしい

周縁にいる一人称の語りでは、主人公のストーリーを目撃する脇役が出来事を語る。最もよく知られた例が、F・スコット・フィッツジェラルドによる1925年の長篇小説『グレート・ギャツビー』のニック・キャラウェイである。舞台は1920年代のアメリカで、この語り手は華やかで裕福な道徳的に堕落した登場人物たちを驚きの目で見ている。ニックはときに自分を守ろうとして心もとないが、自身も作家であり、その声にはクリエイティブな才能がある。

私は何かにつけ判断を差し控えるところがある。（…）若者の打ち明け話、また少なくともそういうときの言葉遣いは、どこかで聞いたよう

な二番煎じで、へんに鬱屈していることが多いから、聞く前から知れたようなものである。

　判断を控えるというのは、どれだけ長い目で見てやれるかということだ。(小川高義訳)

フィッツジェラルドはギャツビーの視点にも焦点を合わせる。

　心臓の鼓動が速くなった。デイジーの白い顔が寄ってくるのだ。いまここでキスをしたら(…)精神は自由を失う。神のようには動けない。そう思って時間をかけた。

とはいえ、キャラウェイ自身の一人称のナラティブがずっとつづく。

　こういう話を聞きながら——あきれるほどの感傷を浴びせられながら、私は何か心に浮かびそうなものがあると思っていた。ちょっとしたリズムだったか言葉だったか、ずっと前にどこかで聞いたような気がするのに、なかなか思い出せない。

アフラ・ベーンによる1688年の短篇小説『オルノーコ』の語り手は名前のないイギリス人女性であり、最初から周縁にいる。

　読者がこれからさき読まれることの大部分については、私自身がその目撃者であったのである。そして私が直接目撃することのできなかった事柄については、この物語の主役、すなわち主人公自身の口から私が聞いたものである。(土井治訳)

周縁にいる語り手は物語に関わっており、しばしばそれを自覚していて、ナラティブに興味深い次元をつけ加える。先ほどあげたふたつの例では、どちらの語り手も表向きは友人の死を悼んで書いている。近い三人称や中心にいる一人称のナラティブでは語り手は死後に語ることができないため、不可能な視点である。しかし、この場合の語り手たちは自己弁護に走る動機があるかもしれず、その考えや信頼性には疑問が生じるといえる(19–23ページを参照)。

　それとは対照的に『シャーロック・ホームズ』のストーリーではワトソン博士がきわめて信頼できる仲介者になり、非凡だが気難しい探偵と読者

を仲立ちして、落ちついた調子でホームズの途方もない冒険を読者に伝える。次にあげるのは、ふたりが初めて出会う場面である。

「ドクトル・ワトスン。このかたがシャーロック・ホームズさんです」スタンフォードが私たちをひきあわせてくれた。

「はじめまして」ホームズはていねいにいって私の手を握ったが、その握りかたは言葉つきにも似ず、いささか乱暴だと思われるほど強かった。「あなたアフガニスタンへ行ってきましたね？」

「ど、どうしてそれがおわかりですか？」私はびっくりした。

「いや、なんでもないです」彼はひとりで悦にいりながら〔言った〕（アーサー・コナン・ドイル『緋色の研究』1887年、延原謙訳）

周縁にいる一人称の語りは、より謎めいた不思議な主人公を可能にする。さらに、主人公の性格などさまざまなことへ意見を述べる力が語り手にあると、この複雑なナラティブの手法におもしろい光と影を与えられる。

中心にいる一人称
わたしのストーリーはわたしについて

───────────

　ようやく最も親密なナラティブの方法にたどりついた。**中心にいる一人称**（あるいは**一人称視点**）である。これは主人公個人の視点から書かれたストーリーであり、つまるところ主人公が語り手になる。自分自身を「わたし」と呼び、みずからのストーリーを読者に直接伝える。

> 　座礁した船を目で探したが、遠い上に砕ける波の飛沫のせいでよく見えなかった。我ながらよくここまでたどり着けたものだ、と私は思った。（ダニエル・デフォー『ロビンソン・クルーソー』1719年、唐戸信嘉訳）

　慎重に計画と調べ物をしたうえでうまく使えば、一人称の声は読者を読者自身の世界から遠く離れた世界へ直接引きこむことができる。読者はほかのだれかの目と心だけを通して焦点を絞るからだ。過去と現在に言及することで、説得力ある物語世界をつくることができる。

> 　わたしの名前はキャシー・H。いま31歳で、介護人をもう11年以上やっています。ずいぶん長く、と思われるでしょう。確かに。でも、あと8カ月、今年の終わりまではつづけてほしいと言われていて、そうすると、ほぼ12年きっかり働くことになります。（カズオ・イシグロ『わたしを離さないで』2005年、土屋政雄訳）

　一人称視点は密接で没入感があり、読者は主人公と同時に出来事を経験できて、テンポとドラマを強く感じられる。これはスリラーにうってつけだ。次にあげる例でスーザン・コリンズは、3部作全体の出発点になる出来事の感情をとらえている。

> 　（…）ちょうど妹が階段を上りかけたときに追いついた。腕をぐいと伸ばして、妹を後ろに押しやる。
> 　「わたしが志願します！」あえぎながら叫んだ。「わたしが贄（いけにえ）に志願します！」（『ハンガー・ゲーム』2008年、河井直子訳）

このスタイルで書くときは、読者の目をひくアクションや秘密を早い段階で明かし、ほかの秘密をあとにとっておくことで、サスペンスをつくりだす。「わたしは見た」「わたしは聞いた」というような距離をとることばや、「ボールはわたしに蹴られた」というような受動態のフレーズは避ける。語り手がほかの登場人物のことをすべて知っていると思わないこと。「ジェーンに鍵をわたすと、彼女はよろこんだ」とは書かず、「ジェーンに鍵をわたすと、彼女の顔がぱっと明るくなった」と書く。語り手が見たり、聞いたり、においがしたり、味がしたり、感じたりすることだけを書く。

　めったに使われない**全知の一人称**の様式もある。そこでは一人称の語り手は、ほかの登場人物の思考、行動、動機にアクセスできる。マークース・ズーサックによる2005年のベストセラー『本泥棒』では、全知の一人称の語り手は実際に全知である。同様に『世にも不幸なできごと』シリーズの作者で語り手のレモニー・スニケットは、すべての登場人物に神のごとくアクセスする。

　複数の一人称視点を用いる作家も増えている。2012年のベストセラー・スリラー『ゴーン・ガール』で作者のギリアン・フリンは、ニック・ダンとエイミー・エリオットによる一人称の記述を章ごとに切り替える。それぞれが自分のバージョンの出来事を語って読者の信頼を得ようと闘い、読者はどちらか片方が嘘をついていると徐々に気づいていく。

　　妻のことを考えるとき、ぼくはいつもその頭を思い浮かべる。まずは、その形を。初めて見かけたときも目に入ったのは妻の後頭部で、それはどこか愛らしい形をしていた。（ニック、第1章冒頭、中谷友紀子訳）

　　わたし、愛でいっぱい！　情熱があふれそう！　彼への思いではちきれかけてる！　結婚した興奮と喜びで、蜂みたいにじっとしていられない。彼にくっつきまわって、世話を焼いては大騒ぎしている。わたしはおかしなものになった。奥さんになった。（エイミー、第6章冒頭、中谷友紀子訳）

意識の流れ
左、右、上、下、中央

　　目が覚めたあとの10分間に頭をよぎる考えをすべて書きだしてみよう。意識はありとあらゆる話題へ飛びまわるだろう。いま見たばかりの夢から、これからはじまる1日の希望と不安へ、いい思い出と悪い思い出から、何かの会話や鳥の鳴き声へ。**意識の流れ**の作品は、この混沌とした流れを再現しようとする。それを使いはじめたのは、20世紀初めのモダニスト作家たちである。無秩序で曲がりくねったナラティブのなかで読者が迷子になることもあるが、このスタイルは読み手を深く引きこむこともできる。次にあげるのは、当時のダブリンで暮らすレオポルド・ブルームについてのくだりである。

　『ユリシーズ』のような意識の流れの小説ですよ、腰を落ちつけてプロットを考えることすらなく、ただ書いたんです、飲み物は飲んでいらっしゃいますか、席を見つけましょう、どちらからいらしたのですか、ここは暑いですね、わたしは青が好きでね、青はお好きですか……

　　ブルーム氏は、もぐもぐやりながら、立ち上り、その溜息を見物した。おせせ鼻の薄馬鹿。レネハンの馬を教えてやろうか？　もう知ってるさ。忘れさせておくほうがいい。どんどん負けろ。馬鹿と財布は。露

滴がまた垂れる。（ジェイムズ・ジョイス『ユリシーズ』1922年、柳瀬尚紀訳）

ウィリアム・フォークナー、ヴァージニア・ウルフ、Ｔ・Ｓ・エリオットはみなこの形式を使った。現代ではトニ・モリスンが用いている。

　　あたしは独りぼっち　あたしはあたしたち二人が一人になった人間になりたいの　あたしは一つになりたいの

　　あたしは青い水の中から出てくる　あたしの足の裏が泳いでいってしまった後であたしは岸に上がる　居場所を見つけなきゃ　空気が重い　あたしは死んでない　死んでないわ　家がある　あの女（ひと）があたしに囁いたものがある（…）（トニ・モリスン『ビラヴド』吉田廸子訳）

二人称

これはあなたのこと

　二人称の語りは、読者の「あなた」に直接語りかける。よく使われるのはマニュアル（「あなたのカレンダーをひらいてください」）、レシピ（「あなたの手もとにニンニクがなかったら」）、広告（「あなたの国は**あなたを必要としている**」［1914年イギリスの募兵ポスター］）などであり、文学作品ではめったに用いられない。

　その理由はたやすくわかる。創造的でニュアンスのある描写を二人称でつづけるのは、長いナラティブではきわめて厄介で困難だ。文章の視線はストーリーへ積極的に参加する読者に固定されるため、まごつきを覚えさせることもある——混乱させることさえある。しかし、この次元の誘導された親密さを著者が効果として狙っていることもある。

　　夜明けのこんな時間に、こんな場所にいるような男ではない。しかし、いまきみのいるのは、間違いなくこんな場所なのだ。この風景には見覚えがない、ときみは言うことができない。きみはナイトクラブにいて、頭を剃り上げた女と話している。クラブの名前は「ハートブレイ

ク」。いや、「ザ・リザード・ラウンジ」だったろうか。バスルームに入り、ボリヴィア製の強いコカインをひとつまみやりさえすれば、何もかもがもっとはっきりとしてくるかもしれない。だがそんなことをやっても、何もはっきりとはしてこないかもしれない。（ジェイ・マキナニー『ブライト・ライツ、ビッグ・シティ』1984年、高橋源一郎訳）

　読者を深く引きこむこのナラティブ様式は、**インタラクティブ・フィクション**にニッチを見いだしている。書籍（エドワード・パッカード『きみならどうする？』シリーズ）、ゲーム、次にあげる新形態のコンピュータゲームなどである。

　あなたはプリーモ・ヴァリチェーラ、ピエモンテ宮殿の宮殿大臣である。この役職に感心する人はおそらくいない。ピエモンテはカロリング帝国の笑いぐさであり、宮殿大臣は名ばかりで（その名すらたいしたことがない）、事実上は執事と変わらない存在である。あなたの仕事は晩餐会の準備を整えたり、使用人たちを監督したり、来訪者にあいさつしたりすることだ。戦争大臣や財務大臣は、あなたが王の閣僚に列していることを歯牙にもかけていないと思っていい。（アダム・カドレ『*Varicella*』1999年）

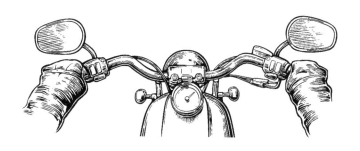

信頼できない語り手
悪党と道化師

ストーリーを語る際には、だれもが自分のよい面を見せたがる。信頼できない語り手という概念を初めて提示したのは、ウェイン・C・ブースの1961年の著書『フィクションの修辞学』のようだ。ブースの考えでは、信頼できない語り手は普通は一人称のナラティブに限られ、

> (…) 物語の読者に嘘をつき、情報を隠して、誤った判断を提示する——すなわち、現実世界や著者の読者から見てではなく、語り手の物語の読者から見て、真実ではないことを語る (…) つまりあらゆる虚構の語り手はニセモノであり、それゆえ偽りである。しかし真実を語るニセモノもいれば、嘘をつくニセモノもいる。(ピーター・J・ラビノウィッツ『*Truth in Fiction*』1977年)

このように信頼できないがゆえに、読者はいっそう興味を掻きたてられリアルさを感じる。ウィリアム・リガンは信頼できない語り手を4つのタイプに分けている。

1. **悪党** 大げさな語り口とほらを特徴とする（下）。
2. **道化師** 何も真剣に受けとめず、常識をもてあそぶ（20ページ）。
3. **異常者** 不安から統合失調症まで、精神面の問題を抱えている（21ページ）。
4. **うぶな人** 未熟だったり、なにか別の理由で視野が狭かったりする（22ページ）。

悪党の語り手は、16世紀終盤に人気のあったスペインの**悪党**小説にちなんで名づけられた。この語り手は、ほらを吹いたり大風呂敷を広げたりする癖がある。ダニエル・デフォーによる1722年の自伝風フィクション『モル・フランダーズ』では、監房で死を待つモルがうさんくさい冷徹さで人生のさまざまな出来事を語る。次にあげるのは、時計を盗もうとしてしく

じったあとに少年を陥れる場面である。

　（…）私はその婦人の時計をうまくつかんだのですが、誰かに押された
ようにして相手にどかんとぶつかり、その拍子に時計をぐいとひっ
ぱったが、とれないと分かりましたので、私はすぐそれを離しました。
そしてまるで殺されそうな声で（…）叫びました（…）（伊澤龍雄訳）

　モルのその後の物語には、重婚、近親相姦、売春、窃盗などが登場する。
読者は彼女の苦境に同情するが、彼女が語る物語のなかでそうしたトリッ
クを使うのを見ているため、読者は自分をおおいに憐れみ美化して出来事
を語る彼女にだまされているかもしれないとも自覚している。

　ジョージ・マクドナルド・フレイザーのよく練りあげられたキャラク
ター、フラッシュマンは、彼の名を冠したイギリスの植民地的冒険のパロ
ディ小説で、陽気な大ぼらをえんえ
んと吹きつづける。

　そういうわけで、M・ヘンリー・
ステファン・オペール＝ブロ
ウィッツのことはおわかりいた
だけただろう。彼のことと、わ
たしたちの「共有の運命」という
彼のおかしな考えについてたく
さん語ったのは、それがいかれ
た事件全体の根本にあるからで
あり、わたしの命を危うく奪い
かけたからであって、ヨーロッ
パの大戦を防ぎもしたからだ
（…）（ジョージ・マクドナルド・フレ
イザー『*Flashman and the Tiger*』1999年）

　道化師の語り手は、役割を真剣に
受けとめるのを拒む。読者の予想を

レジナルド・マーシュによる絵画
『モル・フランダーズ』

もてあそび、自分の楽しみのために読者に嘘をついて、それまでのナラティブの構造を平然と無視する。『トリストラム・シャンディ』のナラティブ（31ページを参照）には、黒く塗りつぶされたページ、読者の想像に委ねる伏せ字、長々とした脱線、スケッチ、さらなる混乱を生じさせるコメントなどが含まれる。

> 私は今度のこの章を、きわめてノンセンス式に切り出してみたいという強い誘惑を感じます、また、そういう思いつきのさまたげはしたくない──となるとこんな書き出しはどうでしょうか。（ロレンス・スターン『トリストラム・シャンディ』1760年代、朱牟田夏雄訳）

ときには癪にさわるが、気まぐれで予想できない語り手は、テキスト全体の調子におどけた魅力を与えることもある。

さらなる信頼できない語り手
異常者とうぶな人

***

異常者は、なんらかの認知上のゆがみを抱えていて、出来事を正確に解釈したり伝えたりできない、あるいはそうする気がない信頼できない語り手である。犯罪小説やミステリーで、暴力、トラウマ、依存症の問題を掘りさげる必要があるときによく用いられる。エドガー・アラン・ポーの1843年の短篇「告げ口心臓」では、語り手はこう語る。

> でね、ここが大切なところだけど、あなた、私のこと、頭がおかしいって思ってるでしょ。おかしい人だったら、ものがわかりませんよ。でも、私のやり口、見ててほしかったなあ。すっごく賢くやりおおせたんだから──とっても注意して──先を見越して──わからないように、ごまかして！　殺す前の一週間、おじいちゃんへの親切ぶりと言ったら、ものすごかったですよ。（河合祥一郎訳）

この声の直接性、間とくり返しのすべてが、狂気へ足を踏みいれた男の告白を聞いている感覚を募らせる。ポーはこの種の閉塞感をつくりだす名人だ。読者は自称殺人者と同じ部屋に閉じこめられたように感じる。同様に『アメリカン・サイコ』の語り手パトリック・ベイトマンも、現実を信頼できなくするものの見方を告白している。

> 私は人間としての特徴をすべて備えていた——肉、血、皮膚、体毛——しかし、脱人間化が強烈に進行していて、深いところまで達したので、人に共感する通常の能力が根絶されていた (…) (ブレッド・イーストン・エリス『アメリカン・サイコ』1991年、小川高義訳)

うぶな人は、世間知らずであるがゆえに信頼できない語り手である——自分の印象や経験を語るが、その裏を読んで実際に起こっていることを理解するのは読者の仕事だ。このうぶさは、周囲の世界について理解やコントロールを欠いていることに由来する。

> (…) フルーレだとかそういう用具一式を、僕が地下鉄に置き忘れちまったからだ。(…) 帰りの電車の中ではチーム全員がずっと僕のことを無視していた。まあ、けっこう笑えることではあったんだけどね。(J・D・サリンジャー『キャッチャー・イン・ザ・ライ』1951年、村上春樹訳)

本人もわかっていない。子どもだから、あるいは未熟だから、あるいは理解や表現を妨げる何かのせいで制約を受けているからだ。サリンジャーの主人公ホールデン・コールフィールドにとって上述の出来事は、とうてい「笑える」ことではない。男らしさを誇示するティーンエイ

ジャーである彼は動揺しているのを認めず、平気なふりをしようとしている。作品全体を通じてホールデンは世界を理解したふりをしているが、彼の行動はその虚勢と矛盾している。

　現代のうぶな語り手としてひときわ有名なのが、1994年の映画『フォレスト・ガンプ』の主人公である。フォレストは映画の導き手だが、彼が出来事をつぎつぎと誤解するところに喜劇と悲劇がある。

　このナラティブ手法の大きな強みは、読み手に信頼をおく点にある——ニュアンスや暗示はあるが、明確な真実は読者の解釈に委ねられる。そこからより深く、意味深長な次元で読者の参加が求められる魅力的な作品が生まれる。次にあげるのは、マーク・ハッドンによる2003年の長篇小説『夜中に犬に起こった奇妙な事件』の自閉症の人物の語り手である。

　　　彼は言った、「きみのお父さんと話しあったが、きみは本気で警官をなぐるつもりはなかったらしいな」

　　　ぼくはなにもいわなかった、なぜかというとこれは質問ではないからだ。

　　　彼はいった、「きみは本気で警官をなぐったのか？」

　　　ぼくはいった、「はい」

　　　彼は顔をしかめていった、「しかし警官にけがさせるつもりはなかったんだな？」

　　　ぼくはこれについて考えてからいった、「はい。ぼくは警官にけがさせるつもりはなかった。ぼくにさわるのをやめさせたかっただけです」

　　　すると彼はいった、「警官をなぐるのは悪いことだというのは知っているね？」

　　　ぼくはいった、「知っている」

　　　彼は数秒だまっていて、それからきいた、「きみが犬を殺したのかい、クリストファー？」

　　　ぼくはいった、「ぼくは犬を殺していない」(小尾芙佐訳)

ポリフォニー
あらゆる角度から見る

　ポリフォニー（多声）とは、音楽においてさまざまなパート（あるいは声）を編みあわせてひとつの全体をつくることである。**ポリフォニック・ナラティブ**（多声的な語り）にはさまざまな話者と声が登場し、出来事について対照的な見方を提供して、ストーリーを前へすすめる。ロシアの学者ミハイル・バフチン［1895–1975］はフョードル・ドストエフスキーの作品をその例としてあげる。ポリフォニーの作品は、ひとつの声からなる典型的なアプローチとは異なり、対話的なアプローチを提示する。

　19世紀の小説は、ポリフォニーの手法を使って距離がある人や土地を結びつけ、劇的アイロニーをつくりだしたが（たとえばジョナサン・ハーカーの『トランシルヴァニア』やミナ・ハーカーの『ロンドン』）、21世紀の作家は、ポリフォニーを使って、単一の声によって判断したり答えを出したりしない複数の視点から歴史を探る。〈ひとつの声〉からなる文学の問題について、ナイジェリア人作家チママンダ・ンゴズィ・アディーチェが講演会で見解を示している。

　　権力について語ることなくひとつのストーリーを語るのは不可能です。世界の権力構造について考えるとき、いつもわたしが思い浮かべるイボ語のことばがあります。「ンカリ（nkali）」。おおむね「ほかより偉大である状態」とでも訳すことのできる名詞です。経済と政治の世界と同じで、ストーリーもまたンカリの原則によって定義されます。どのように語られるのか、だれが語るのか、いつ語られるのか、いくつのストーリーが語られるのか、これらは実際、権力によって決まるのです。
　　（TEDトーク「シングルストーリーの危険性」）

　長篇小説『半分のぼった黄色い太陽』（2006年）でアディーチェは、非常に異なる3人の登場人物の視点に焦点を合わせ、それらを編みあわせることで1967年ナイジェリアのビアフラ戦争の経験をとらえている。年齢、人

種、階級を横断し、読者は貧しい下働きの少年ウグウ、特権階級に属する美しい女性オランナ、イギリス人作家リチャードの目を通して戦争を見る。

　中心にいる一人称でも、焦点を絞った三人称でも、あるいはその両方でも、ポリフォニーによって得られる深さや創造性に限界はない。10ページでは『ゲーム・オブ・スローンズ』の8人の語り手を見た。15ページでは『ゴーン・ガール』のふたりの語り手に会った。ブラム・ストーカーによる1897年の書簡体小説『ドラキュラ』には、これといったひとりの語り手や主人公は存在しない。ウィルキー・コリンズによる1860年のミステリー小説『白衣の女』では、おもな登場人物のほとんどが語り手となる。デボラ・レヴィによる2004年の長篇小説『*Small Island*』には4人の異なる語り手が登場する。ホーテンス、クイーニー、ギルバート、バーナードが、つぎつぎと変化する入り組んだナラティブによって、第二次世界大戦後にイギリスへ移住したジャマイカ人の多様な経験を物語る。

　ドリス・レッシングの小説『黄金のノート』には、同じ女性が書いた4つの異なるノートからの抜粋がおさめられている。レッシングは、個人もまた競合する複数の声によって成り立っていることを認識している。

　　黒いノートは作家アンナ・ウルフに関する記録。赤いノートは政治関係。黄色のノートには経験をもとにした物語を書く。青いノートは日記のつもり。（ドリス・レッシング『黄金のノート』1962年、市川博彬訳）

　ジョン・マランがこの小説の書評で書いているように、

　　複数のナラティブからなる小説は、新しいアイデアではない。『黄金のノート』がたぐいまれな作品であり、いまなお並はずれているのは、使用する複数のナラティブが、同じ登場人物のものである点にある。

だれがストーリーを見ているのか?

焦点化と視点人物

　どのようなナラティブ状況であっても、起こっていることを実際に「見て」いる人を**視点人物**という。視点人物は外から、あるいは内面から、あるいは両方から読者が追う人物である。**焦点**あるいは「視点」は、語り手がほかの登場人物を追いはじめた瞬間に移動する。これは1冊の本で一度も起こらないかもしれないし、100ページ読んだところでようやく起こるかもしれないし、章が変わるたびに、あるいは数段落単位で起こることもある。

　フランスの文学理論家ジェラール・ジュネット [1930–2018] は、焦点化にはふたつの種類があるという。**内的**あるいは「物語世界内的」なものでは、語り手は視点人物の考えや気持ちにアクセスでき、**外的**あるいは「物語世界外的」なものでは、語り手は視点人物の視点からものを見てはいるが、その心は読めない。視覚媒体では語り手そのものは存在しないのが普通だが、焦点化は存在する。映画の世界では**視点**と呼ばれ、最終的には事実上の語り手である監督によってコントロールされる。

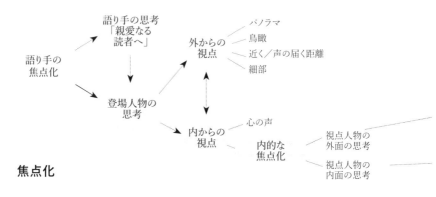

焦点化

N F_1 F_2	異質物語 固定された外面 語り手	等質物語 固定された内面 語り手 （＝登場人物）	異質物語 固定された内面 ひとりの登場人物、 語り手ではない	異質物語 動的な内面 複数の登場人物、 語り手ではない
	彼女がバーへ入ってきて、彼は彼女を見ていた。彼は友人たちと立っていたが、目を部屋の向こうへやり、彼女がコートをかけて友だちにあいさつし、ウェイトレスに飲み物を注文するのを見ている。やがて彼は友人たちのもとを離れ、部屋の向こうへ歩きはじめた。	ぼくは彼女がバーへ入ってくるたびに息をのんだ。彼女の姿を見ると生き返った気分になった。彼女に何か言わなければならないけれど、どうすればいいのかわからない。おびえきった子どものようにしばらく突っ立っていたけれど、ようやく友人たちのもとを離れて彼女と話しにいった。	彼女がバーに入り、コートを脱いで、友人にあいさつするのを彼は見ていた。彼女の美しさに息をのむ。生き返った気分になる。話さなければならないのはわかっているが、どうやって？　どうだってかまわない。おびえた子どもみたいな気分でいるのはうんざりだ。彼はその場を去って部屋の向こうへむかった。	バーに足を踏み入れながら、彼は自分に気づいただろうかと彼女は思う。彼のためにこのドレスを着てきたが、目にとめられていない気がする。部屋の向こうにいる彼が自分に思いこがれていることを、どうして彼女が知ることができただろう？　おびえた子どものように、彼は彼女に話しかける言い訳を心のなかで探していた。彼女に息をのみ、生き返った気分になっていることを、どうして彼女が知ることができただろう？　ついにバーの向こうから彼が自分のほうへやってくるのを彼女は見た。胸が高まりだす。

上　4つの異なる焦点化によって書かれた場面。Nは語り手、F_1は焦点化、F_2は視点人物。

左ページ　焦点化の枠組み。作者にひらかれているさまざまな選択肢を示している。

下　精神作用のプロセス。心のなかをのぞく小窓。（図はマンフレッド・ヤンのものを参考にした）

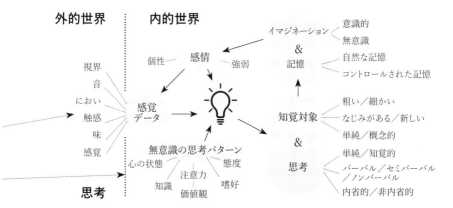

距離

深く、あるいは遠く

　全知の語り手は、いかなる視点や距離からでも描写できる。何かを遠くから描くこともできれば、部屋の向こうから観察することもでき、すぐそばで経験することもできれば、だれかの頭のなかに住まうこともできる。作家はこうした距離を慎重にコントロールし、状況の求めに応じて行き来する。

　　小説のナラティブは、ひとり以上の登場人物の内面へ読者をいざない、思考、感情、知覚、そのときどきの身体的経験を呼び起こす。重要なのは、内面か外面かという二者択一の選択ではなく連続体であることだ。読者が登場人物の意識の主観的で個人的な細部にどれほど肉薄するか、その感覚を作者がコントロールする。作者はまた、一登場人物の経験をこえた出来事について、ナラティブが読者をどこまで客観的で広い視野の語りへと連れ出すかもコントロールする。（エマ・ダーウィン）

ナラティブの距離には3つの種類があり、それぞれに5つの距離がある。

語り手の距離　ナラティブにおける語り手と読者の個人的つながりの程度。

1. **遠い**　暗い嵐の夜だった。
2. **近い**　われわれの物語は、突然の稲妻からはじまる。
3. **間近**　読者のみなさんは子ども時代、激しい雷雨が好きだっただろうか。あるいは恐ろしかっただろうか。
4. **密接**　わたしはずっと閃光と轟音が大好きだった。
5. **一体**　その夜、わたしのまわりで空が爆発した。

物理的距離　語り手と語り手が描く世界との空間の隔たり。

1. **遠い**　雨が谷に打ちつけた。
2. **近い**　彼らはオークの大樹の下にいて無事だった。
3. **間近**　「そこまで走ろう」彼は言った。
4. **密接**　彼女はにっこり笑った。

5. **一体**　小さな雨粒が彼女の頬に斑点をつけた。

精神的距離　語り手と、ほかの登場人物の思考・感情との内面の隔たり。

1. **遠い**　1853年の冬。大きな男が戸口から外へ足を踏みだした。
2. **近い**　ウォーバートンはずっと吹雪が好きでなかった。
3. **間近**　ヘンリーは吹雪が大嫌いだった。
4. **密接**　なんてことだ、彼はこんないまいましい吹雪が大嫌いだった。
5. **一体**　雪。あなたの襟の下で、靴のなかで、あなたのみじめな魂を凍
　　　　らせて塞いでいる。（ジョン・ガードナー『*The Art of Fiction*』1983年）

　遠距離は場面設定に適している。間近な距離は主観的で強烈なものにふ
さわしい。レイチェル・スミスは、ケイト・モートンによる2012年の長篇
小説『秘密』を例に、距離の変化を示している。

　　雌鳥の一団がどこからともなく現われ、庭の小道に敷き詰めた煉瓦の
　　隙間をついばみ、一羽のカケスの影が庭をさっと横切り、近くの草地
　　のトラクターの音が息を吹き返す。そして土地の上にある木造ツリー
　　ハウスのなかでは、床に寝そべった16歳の娘が、舐めているレモン味
　　のスパングル〔飴〕を上顎に押しつけ、吐息をもらす……。

　　　あの子たちにいつまでも探させるのは酷だとわかっていたが、何し
　　ろうだるような暑さだし、ひとりで考えたい内緒ごともあったから、
　　こんなゲーム——それも子供じみたゲームときては——まるでやる気
　　が起きなかった。父さんがいつも言っているではないか、これもあの
　　子たちには大事な試練、フェアプレイの何たるかは学んでこそ身につ
　　くのだ。（青木純子訳）

どのようにストーリーが語られるのか?
ナラティブの構造

ナラティブの構造には基本的な型が5つある。

1. **直線／時系列**　たいていのストーリーは起こった順に語られる。たまにフラッシュバックなどの一時的な断絶はあるが、ナラティブは基本的に時系列ですすむ。最もよくある構造。

2. **循環**　終点、あるいは多くの場合ストーリーの時系列的な終わり近くからストーリーがはじまる。

3. **非直線／断続**　時系列から外れてストーリーが語られ、場合によっては時間軸のあちこちをばらばらに跳びまわる (右ページを参照)。

4. **並行**　ストーリーは複数の筋や登場人物に沿ってすすみ、テーマ、出来事、登場人物によってひとつにまとまる (32ページを参照)。

5. **双方向**　一貫して読者が選択し、さまざまな場面や異なるエンディングへ向かっていく。文学の形式では困難だが、コンピュータゲームではよくある。

　循環あるいは**円環ナラティブ**は、同じ場所ではじまって終わる。物語は途中から始まることもあれば、終幕近くからストーリーをはじめ、そこへ至るまでの出来事をさかのぼって語ることもある。何が起こるか読者は知っているが (ただし経緯と理由はわからない) 登場人物たちは知らないため、その状況には劇的アイロニーもふんだんに含まれる。

　ダニー・ボイルによる2009年の映画『スラムドッグ$ミリオネア』は、循環ナラティブである。インドでテレビのクイズ番組に出演している主人公ジャマールが、2000万ルピーの賞金獲得まであと1問に迫っている場面からはじまる。突然、ジャマールは警察に拘束される。不正の疑いをかけられたからだ。その後、一連のフラッシュバックを経て、これまでの人生の出来事から彼がそれぞれの問題の答えを知っていた経緯がわかる。

警部補はジャマールを信じ、映画は冒頭の場面に追いついてその後へつづき、結局、ジャマールは最終問題に正解して恋人と再会する。

　S・E・ヒントンによる1967年の長篇小説『アウトサイダーズ』は、円環構造をとっている。ラストシーンの国語の授業の作文でつらい経験を分かち合うことを決心した14歳のポニーボーイは、冒頭で読者が読んだものと同じことばを書く——映画館を出たところで上流階級の不良の集団〈ソッシュ〉に襲われた話だ。彼はまだその経験をずっと引きずっていた。

　非直線あるいは**断続ナラティブ**（バラバラの物語）は、時系列を外れて出来事を描く。これは登場人物の内面を模倣するために使われることが多い。1759年から67年にかけて全9巻で刊行されたローレンス・スターン『トリストラム・シャンディ』では、タイトルと同名の語り手がみずからの来し方を語る。トリストラムはくり返し脱線し、遠回りして、人生の出来事を時系列的にめちゃくちゃに語り、そうすることで意識の流れを彷彿とさせる断続ナラティブになっている。

　1953年に刊行されたジョーゼフ・ヘラーの風刺的戦争小説『キャッチ=22』は、非時系列の全知の三人称による語りを用い、さまざまな登場人物の視点から出来事を描写している。

　オーソン・ウェルズは、1941年の映画『市民ケーン』で非時系列のフラッシュバックを使って主人公のストーリーを語る。黒澤明は1950年の映画『羅生門』でそれを使い、登場人物がひとつの出来事に関する互いに相容れないさまざまな証言を語ってゆく。

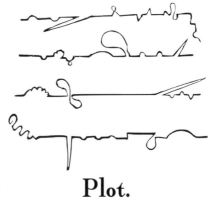

非直線プロットを示す線。ローレンス・スターン『トリストラム・シャンディ』1759–67年より。

並行的ナラティブ
構造と隣りあわせの構造

並行的ナラティブでは、はじめは無関係に思える複数の視点が登場し、やがてその関連がわかる。脚本家のリンダ・アロンソンは6つのタイプを示す。

1. **縦列**（タンデム）　同等の重みをもつ複数の話が同時にすすむ。集団を扱うテーマが多い。大きな筋やその他の仕掛けによってひとつにまとまる。

2. **連続的**　同等な重みの自己完結した複数の話が連続して語られ最後につながる。様々な視点や断続ナラティブが含まれることもある。

3. **二重の旅**　ふたりの中心的登場人物がお互いに向かって、またはお互いから離れて、あるいは並行して旅をする。それは物理的な旅か感情的な旅かその両方であり、それぞれが独自のプロットをもつ。

4. **複数の主人公**　主役たちがひとつの集団を形成。友人グループ、再会、家族、使命についてのストーリー。すべての主人公がテーマにつながる窓になっている。

5. **フラッシュバック**　9つのタイプがある。説明、後悔、ブックエンド、補足、予告、スローモーション、くじかれた夢、事歴、自伝的。

6. **断続的**　並行した複数の話（多くの場合異なる時間枠にある）がばらばらになり、再び混ぜあわされて、意外なつながりや結末が明かされる。

フィリップ・ヘンシャーが、2014年の長篇小説『*The Emperor Waltz*』で並行の技法を使った理由を説明している。

> まったく異なる時間にいる人びとが同じような状況に同じように対処することを示す小説を書く手段を見つけたかった（…）。結局のところわれわれは、自分たちで思っているよりもつながっていて、小説はあまり関連のない出来事を隣同士に並べることで、そのような共有された人間性の一部を説明できるのだと思う。

並行的ナラティブでは、登場人物とそのストーリーは交差したりつな

がったりすることもあるが、それぞれ独自の世界に存在して独自の筋をたどる。そこが複数の語り手によるナラティブとのちがいである。後者は同じストーリーの筋をおおむね時系列で提示する（たとえば『嵐が丘』）。

　現代作家のデイヴィッド・ミッチェルは、並行的ナラティブを採用している。1999年の長篇SF小説『Ghostwritten』は、各章が別々の主人公による独立したストーリーになっていて、一見ささいな出来事によってつながっている。2004年の『クラウド・アトラス』は、6つのストーリーを組みあわせる。各章は次の章の主人公によって語られ、重要な場面で中断されて、自己完結した6つ目のストーリーのあとにそれまでのストーリーがすべて完結する。主人公はほとんどがお互いの生まれ変わりであり、並行的ナラティブを通じてそれぞれが学び、成長して、過去を未来と結びつける。

　村上春樹もこの技法の達人である。2009年の長篇小説『1Q84』が追うのは、奇妙に変化した1984年にいる性的に奔放な暗殺者、青豆雅美と、彼女の子ども時代の同級生で、現実の1984年に生きる川奈天吾だ。並行するプロットの錯綜した糸が、やがて複雑な網をかたちづくる。

　クエンティン・タランティーノの1994年の映画『パルプ・フィクション』では、視聴者は幅広い登場人物たちに出会う。

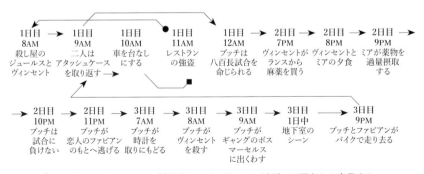

『パルプ・フィクション』の循環的なタイムライン。映画では黒丸から出発する。

フレーミング（枠組み）

彼女がわたしにこの話を語ってくれた

フレーミング（枠組み）は、ストーリーがどのように提示されるか、あるいはどのような文脈のなかに置かれるかを示すものである。ストーリーのなかには、そのまま語られるものもあれば、別のストーリーのフレームに組みこまれたものもある。たとえば、作家で詩人のシルヴィア・プラスは、半自伝的な小説にフレームなしでそのまま飛びこむ。

> 眩暈（めまい）がするような蒸し暑い夏——あれは、スパイ容疑で逮捕されていたローゼンバーグ夫妻が電気椅子にかけられた夏だった。私は、一体ニューヨークで何をしているのか、自分でも分からなかった。（シルヴィア・プラス『ベル・ジャー』1963年、青柳祐美子訳）

フレームをもうけることで、真実らしさを確保しつつ、よりゆるやかに読者を物語世界へいざなえる。この技法は物語そのものと同じぐらい古くからある。古代エジプトにも、紀元前1850年ごろにパピルスに書かれた『雄弁なオアシスの男』や『難破した船乗りの話』といった例がある。それはこんな話。航海に失敗してもどってきた船乗りが、王にどう迎えられるかを心配している。彼を安心させようと、お供の者は災難を乗りこえて神と王に会った自分の航海の話を語り始める。

同じような**フレーミングの仕掛け**は、紀元前400年ごろにまとめられたインドの『マハーバーラタ』でも使われている。この叙事詩は当初、賢人ヴァイシャンパーヤナがアルジュナ王子のひまごにあたるジャナメージャヤ王に朗誦し、ずっとあとにナイミシャの森で吟遊詩人ウグラシュラヴァスが王シャウナカに仕える賢者の一団へ語りなおすというフレームが設定されている。

ホメロスも紀元前800年ごろの叙事詩『オデュッセイア』でフレーミングを用いていて、物語の途中でオデュッセウスがいきなり一人称の語り手に

なる。

1–4巻 説明。オデュッセウスが海神ポセイドンの怒りを買い、帰還できずに行方がわからないことを読者は知る。

5–8巻 脱出。オデュッセウスが島でとらわれていることを読者は知る。彼は島からの脱出を果たす。

9–12巻 物語。「いまからわたしオデュッセウスが、パイエケス人のみなさんにわが冒険の話をしましょう」

13–20巻 帰還。オデュッセウスの帰郷を読者は追う。

21–24巻 クライマックス。妻ペーネロペーに求婚した男たちをオデュッセウスが殺す。

ほかのさまざまなストーリーも、**フレームのナラティブ**を使って場面を設定している。ジョヴァンニ・ボッカッチョによる1352年の『デカメロン』は、フィレンツェ近郊の山荘でペストの終息を待つ10人が語る100の物語からなる。1390年ごろに書かれた『カンタベリー物語』では、作者であり

『カンタベリー物語』初期の板目木版画

語り手でもあるジェフリー・チョーサーがカンタベリーへ巡礼の旅に出るとき、ロンドン郊外の宿屋で29人の巡礼者と出会う。チョーサーらはともに旅をして物語を語り（全24話）、その出来を競うことで、旅の無聊を慰めて食事を賭けることにした。

> つまり、皆様はめいめい旅のつれづれを慰めるため、この旅行で、カンタベリーへ行く道で二つ話をし（…）そして皆様のなかでどなたがいちばん立派に振舞うか、つまりこの場合、いちばん立派な意味をもった、いちばん愉快な話をどなたがなさるか、その方が、わたしたちの費用で（…）夕食のご馳走にあずかるという寸法なんです。（桝井迪夫訳）

シェイクスピアは『ハムレット』でフレーミングの仕掛けを使っている。第3幕第2場でハムレットが役者たちに『ゴンザーゴ殺し』という劇を演じるよううながす場面だ。この劇中劇では殺人場面がつけ加えられ、それを見た殺人者クローディアスが部屋から逃げだし、彼に罪があることがわかる。

周縁にいる一人称の語りはフレーミングの一形式であり、中心にいる一人称の語り手も、メインのナラティブのなかでかなり長いストーリーを語ることができる。

ワシントン・アーヴィングによる19世紀前半の『スケッチ・ブック』は、ジェフリー・クレヨンという架空の人物の経験のフレーム内で語られる。イングランド田園の田舎生活からクリスマスのお祝いまで、幅広いテーマの随筆およびさまざまな民話からなり、『スリーピー・ホローの伝説』や『リップ・ヴァン・ウィンクル』など、フレームから飛びだしてそれ自体が有名になった話もある。

入れ子の箱

フレームのなかのフレーム

───────────

埋めこまれたナラティブや**ロシア人形**のナラティブとも呼ばれる**入れ子の箱**のナラティブには、入れ子になった複数のフレームがある。語り手か脇役の登場人物が別の登場人物（複数の場合もある）を読者へ紹介し、その人物が今度はほかの人から聞いたことを語る、といった具合である。

　メアリー・シェリーによる1818年の『フランケンシュタイン』は、一人称の語り手3人による入れ子の箱である。信頼できる人物、ウォルトン隊長からの4通の手紙で物語ははじまる。

　　ウォルトン隊長　親愛なる姉へ。おもしろいことがありました！　不思議な男に会ったんです〔小説全体がウォルトンから姉への手紙という体裁になっている〕

　　　ヴィクター・フランケンシュタイン　この話を聞いてください。わたしは人間もどきをつくったのです〔ヴィクターのウォルトンへの告白〕

　　　　怪物　ああ、これがわたしの話だ。目が覚めると（…）〔怪物の語り〕

　　　ヴィクター・フランケンシュタイン　おわかりになるでしょう、悲しい話なのです（…）つづけましょう。

　　ウォルトン隊長　こんなふうにして彼に会ったのです。こんなふうに幕を閉じたのです。

　このような現実離れした説明を直接聞かされても、それを受け入れるのは難しいだろう。シェリーによる巧みに埋めこまれたナラティブ構造は、読者を徐々に先へと導いていき、最初のシーンへももどってくる。

　エミリー・ブロンテによる1847年の『嵐が丘』も同様に、共感できる語り手で田舎に滞在中のロックウッド氏からはじまる。

　　ロックウッド　田舎に来た！　近所のヒースクリフはおかしい。家政婦のネリーに訊いてみよう〔〈嵐が丘〉という田舎屋敷をめぐる出来事がさまざまな関係者の視点から語られる〕

ネリー・ディーン　あの一家のことはすべて知っています。こんな話です。わたしの記憶ではこうです。

〔4人の関係者による語り〕

キャシー（〈嵐が丘〉の主人の孫娘）　ネリー、これがわたしの理解です。

ジラ（家政婦）　こんなことがあったのです。

イザベラ（ヒースクリフの妻）　わたしはお話しせねばなりません。

ヒースクリフ（主人公）　よく憶えています。

ネリー・ディーン　おおむねこんなわけでいまに至るのです（…）悲しい話です。

ロックウッド　数か月後、わたしは墓を見にもどった（終）。

　ブロンテは入れ子構造をひときわ巧みに利用し、それぞれの語り手に際立った声を与えて、語り手たちのナラティブを区別している。

　1220年ごろにミール・アンマンがペルシア語で書いた『四人の托鉢僧の物語』では、初めての白髪を見つけて落ちこんだ王が変装して放浪の旅に出る。そしてお互いに出会ったばかりの4人の托鉢僧に墓地で出くわす。

語り手　これはアーザードバフト王についての物語であり、王は4人の托鉢僧に出会う。

最初の托鉢僧の物語　謎めいた女性と恋に落ちたことがあります。

女性の物語　わたしはダマスカスの王女なのです。わたしの話は（…）

ふたり目の托鉢僧の物語　わたしはペルシアの王子です。賢い男はこんな話をしてくれました。

ハーティム・ターイーの話　寛大さについての教訓。

ふたり目の托鉢僧の話再開　わたしは王女と不思議な男にも会ったのです（…）

不思議な男の物語　わたしはニームローズの王子だ、云々。

アーザードバフトが語る　実はわたしはアーザードバフト王だ、云々。

3人目の托鉢僧の物語　わたしはペルシアの王子として生まれました。ある老人に会ったのです。

　　　　　老人の物語　わたしの名はノーマーン・サイヤーフと申します、云々。

　　　4人目の托鉢僧の物語　わたしは中国の王子です。わたしの話には乞食が出てきます。

　　　　　乞食の物語　わたしは名家の出なのです、云々。

　語り手　アーザードバフト王に息子が生まれ、大団円を迎える。

　入れ子の箱を使う児童書として、ジュリア・ドナルドソンが書いてアクセル・シェフラーがイラストをつけた2005年のベストセラー、『*Charlie Cook's Favourite Book*』をあげることができる。

　　むかしあるところに、チャーリー・クックという男の子がいました
　　ここちのいいいすで丸まって、お気にいりの本をよんでいます（…）

　　　あやうく沈みかけたおんぼろ海賊船と
　　　その責任をとらされて海につき出た板を歩かされた海賊のかしらについて。
　　　かしらは島まで泳いで、フックで穴をほりました。
　　　ついに宝箱をみつけて、なかには本が1冊はいっていました（…）

　　　　それはゴルディロックスという女の子の話で（…）こぐまがいいました「みて！」
　　　　女の子はぼくのベッドにいて、なんとぼくのお気にいりの本をもっているのです（…）

　　　　　それはサー・パーシー・ピルキントンについての本で（…）
　　　　　などなど（…）

書簡およびその他のモノ

フレームをかけるフック

18世紀と19世紀の長篇小説では、「モノ」を使ってナラティブをフレームに入れるのが流行した。**書簡体ナラティブ**は手紙、日記、新聞の切り抜き、電報などを使って「不信の停止」〔虚構であることを忘れさせて物語に入り込むこと〕をうながし、複数の視点を提示する。

サミュエル・リチャードソンによる1748年の長篇小説『クラリッサ』は、無垢で純潔なクラリッサ・ハーローと誘惑者ロバート・ラヴレースの書簡を通じて展開する。537通もの書簡がナラティブを構成し、劇的アイロニーをともなう緊張を生む。どちらも相手が知らないことを知っていて、読者は行間からさらに多くを理解しているが、次に何が起こるかはわからない。

ウィルキー・コリンズによる1859年のベストセラー『白衣の女』の目次は以下のようになっている。

> 第一部　クレメンツ・インに住む絵画教師、ウォルター・ハートライトの話［口述］
>
> チャンスリー・レーンに住むヴィンセント・ギルモア弁護士の手記［書簡］
>
> マリアン・ハルカムの話（日記からの抜粋）
>
> 第二部　マリアン・ハルカムの話（続き）（日記からの抜粋）
>
> リマッジ館の当主、フレデリック・フェアリー氏の手記［説明］
>
> など（中島賢二訳）（［　］は著者が追加した）

ヘンリー・ジェイムズによる1898年の中篇小説『ねじの回転』の冒頭は、読者の目をダグラスという登場人物へ向けさせる。ダグラスは手紙を1通持っていて、そこにはこのうえなく恐ろしい物語が書かれていた。

> インクは古びて色褪せているが、実に美しい手で書かれている（…）手の主は女だ。亡くなって20年になる。死ぬ前にわしに送ってくれた。（土屋政雄訳）

見つかったモノのナラティブは、どこか風変わりな場所や不思議な場所で発見され、のちに公然のものとなった「モノ」のフレームのなかで語られる。ヤン・ポトツキによる1805年の長篇小説『サラゴザ手稿』が、その名の由来にもなった〔もとのタイトルは『サラゴサで見つかった手稿』〕。この技法もナラティブと読者の距離を広げ、ナラティブへの不信を停止して、隠された大きな秘密が明かされつつある印象を与える。ホレス・ウォルポールによる1764年の長篇小説『オトラント城』のように、初期のゴシック小説の多くが、それを使って作者を物語の内容から切り離した。作者の評判を守るためだ。ゴシックは当初、手を染めるのが恥ずかしいジャンルだと思われていた——軽薄な若い女性向けの文学作品だと見なされていたからである。それゆえウォルポールは、完全に嘘の序文からこの小説をはじめる。

　　以下にご覧にいれる物語は、英国北部に古くから続くカトリック教徒の家の書庫で見つかったものである。この物語は1529年、ナポリにおいてゴシック体の活字で印刷されたのだが、執筆年代がさらにどのくらい遡るのか、今となっては判らない。そこで描かれる主な事件は、キリスト教が暗黒の中にあった時代に信じられていたような出来事ばかりとなっている。とはいえ、言葉や描写に野蛮の時代の香りは感じられない。文章も最上のイタリア語で書かれている。（千葉康樹訳）

　より最近のものでは、1999年に話題になった映画『ブレア・ウィッチ・プロジェクト』は、出演者たちが姿を消した1年後に見つかった映像という触れ込みになっている。視聴者は冒頭で次のようなメッセージを目にする。

　　1994年10月、メリーランド州バーキッツビル付近の森で、『ブレア・ウィッチ・プロジェクト』というドキュメンタリー映画を撮影していた3人の学生映画制作者が姿を消した。1年後、その映像が発見された。

真実の発明

事実を装ったフィクション

　不信の停止を促す技法として、権威ある出典をつくりだすこともある。

　イアン・マキューアンの長篇小説『愛の続き』の最後には、『イギリス精神医学研究』誌の論文と称する付録がついていて、敵役（かたき）が患ったド・クレランボー症候群の「実際の症例」が詳しく記されている。この小説は高い評価を受け、聡明な研究に基づいた小説だと称賛する声もあった――だが、ある評者は「単純に事実に寄り添いすぎていて、想像力を働かせていない」と不満をもらす。この論文の著者は「ウェン（Wenn）」と「キャミア（Camia）」という二人の医師とされているが、これは「イアン・マキューアン（Ian McEwan）」のアナグラムだった。2年後にマキューアンは告白している。

> 『愛の続き』の付録Iは、その前に置かれた小説にもとづくフィクションであり、その逆ではない（…）

　偽の参考文献一覧や、学術文献を装った脚注も用いられる。スザンナ・クラークはイングランドを舞台にした魔術についての小説で、脚注と注釈の複雑な網の目をつくりあげる。この作品の冒頭近くには次のようにある。

> ある偉大な魔術師に言わせれば、魔術師というものは、「……少しでも知識を脳にたたきこむことには苦心惨憺するのに、議論をかわすとなると、水を得た魚のようである[*1]」ヨークの魔術師たちは、たしかにそのとおりだということを長きにわたって証明してきた。（スザンナ・クラーク『ジョナサン・ストレンジとミスター・ノレル』2004年、中村浩美訳）

　そして章末に注がついている。

> ＊1　ジョナサン・ストレンジ著『英国魔術の歴史と実践』第1巻第2章より（1816年、ロンドン、ジョン・マレー社刊）。

　作品名になっている登場人物が書いた本を参照することで、テキストに新しいメタの層がひとつ加わる。クラークの手法（ほんものの参考文献も追加し

ている）は、本の中心テーマのひとつ——理論的な魔術と実践的な魔術の対立——を支えていて、風変わりになりがちなジャンルに重みを加えている。

　ナラティブを「虚構のノンフィクション」として提示するフレームもある。よく知られた例が、H・G・ウェルズの長篇小説『宇宙戦争』を脚色したオーソン・ウェルズによる1938年のラジオ "ニュース報道" である。ストーリーをほんものの生放送のニュースのように装うことで、ウェルズはきわめて説得力ある作品をつくりあげた。アメリカ各地で大衆のパニックを引き起こし、その後はメディアでおおいに物議をかもした。上品なオーケストラ演奏ではじまった番組が突然中断され、記者がリスナーにこう告げる。

　　フィリップス　みなさん、これほど恐ろしいものは見たことがありません（…）待ってください！　くぼんだてっぺんからだれかが這い出てきます（…）顔かもしれません。ひょっとしたら（…）（群集から恐怖の叫び声があがる）（…）なんということでしょう、灰色のヘビのように何かが陰からのたくり出てきます。また一匹、さらに一匹。どうやら触手のようです。あそこに身体が見えます。大きいです、熊のように大きくて、濡れた革のようにきらめいています。顔は（…）みなさん、なんとも形容しようがありません（…）

　同じトリックは、コーエン兄弟による1996年の映画『ファーゴ』でも使われている。

　　これは実話である。ここで描かれる出来事は1987年にミネソタ州で起こった。生存者の要望によって名前は変更されている。死者に敬意を表し、ここから起こったことを完全にそのまま語ることにする。

『宇宙戦争』のイラスト

「マドレーヌの瞬間」
およびその他の移動の仕掛け

「マドレーヌの瞬間」はフレームの仕掛けであり、別の時間や物語のほか
の場所などへ物語を移動させるのに使われる。プルーストの傑作『失われ
た時を求めて』のエピソードにちなんで名づけられたものであり、そこで
は語り手がシナノキの花のハーブティーに浸したマドレーヌケーキのにお
いに思いがけず記憶を呼び起こされる。その記憶が小説の残りの部分を構
成する。

> やがて私は、その日が陰鬱で、明日も陰鬱だろうという想いに気を滅
> 入らせつつ、なにげなく紅茶を一さじすくって唇に運んだが、そのな
> かに柔らかくなったひとかけらのマドレーヌがまじっていた。ところ
> がお菓子のかけらのまじったひと口が口蓋にふれたとたん、私は身震
> いし、内部で尋常ならざることがおこっているのに気づいた。えもい
> われぬ快感が私のなかに入りこみ、それだけがぽつんと存在して原因
> はわからない。その快感のおかげで、たちまち私には人生の有為転変
> などどうでもよくなり、人生の災禍も無害なものに感じられ、人生の
> 短さも錯覚に思えたが、それは恋心の作用と同じで、私自身が貴重な
> エッセンスで充たされていたからである。というよりこのエッセンス
> は、私のうちにあるのではなく、私自身なのだ。(マルセル・プルースト『失
> われた時を求めて　スワン家のほうへI』1913年、吉川一義訳)

プルーストによるこの巧みな技法は、日常的な経験を利用する——味、
におい、音を通じた感覚的な回想によって呼び起こされる記憶と感情の経
験を用いる。

> すばらしいパンが焼けるにおいは、かろやかに流れる水の音のように、
> 名状しがたいかたちで無邪気さとよろこびを呼び起こす。(M・F・K・
> フィッシャー『食の美学』1954年)

別の世界へ人を移動させるフレームは、広告でよく用いられる。イギリスの例をひとつあげよう。グレイビーソース〈ビスト〉の広告では、においをかいだ大人が、日曜の母がつくるロースト・ディナーを食べる子ども時代へ送られる。同じように昔を懐かしむ例は、2007年の映画『レミーのおいしいレストラン』にも見られる。そこではネズミのシェフ、レミーがつくる料理が、傲慢な料理批評家の老人を忘れ去られた幸福な子ども時代へたちまち送り返し、後からすばらしい評価を受ける。2003年の『*Toast*』という「食の自伝」でナイジェル・スレイターは、記憶と結びついた食べ物をあげる。

　　オートミールのクッキーは、学校からうちに帰ってきたときのことを思いださせる。サヤマメは、それを摘みに行かされた農場のにおいをよみがえらせる。ロクムは、クリスマスを思いださせる（…）だが食べれば食べるほど、すてきな思い出ばかりでないことに気づく。缶詰のラズベリーを使った料理は、激しい鞭打ちを彷彿とさせる（…）

　音も強力な移動の仕掛けである。テネシー・ウィリアムズによる1947年の戯曲『欲望という名の電車』では、舞台に流れる音楽「ブルー・ピアノ」が「**プラスティック・シアター**」の仕掛けとして機能し、ブランチが若き日に

そして突然、記憶がもどってくる。これはマドレーヌの小さなくずの味で、日曜の朝に…

フラッシュバックしていることが観客に示される。プラスティック・シアターは観客の経験を深めるためにウィリアムズによってはじめられたもので、小道具、照明、音響、ト書き、衣装を使って登場人物の心理状態を表現し、芝居のテーマとアイデアを広げる。リアリティの確保は意図されておらず、象徴的なものである。彼女が再経験したレイプの場面では、アパートの壁が「透明になる」とウィリアムズのト書きに書かれていて、リアルで猥雑な外の世界の侵食が象徴されている。

より具体的なものも移動の道具になる。帽子、ドレス、ベスト、メダル、ペン、鍵、石、木、花、景色、戸口、部屋、写真などだ。感覚的な経験に焦点を合わせ、フラッシュバックを生むナラティブのフレームとしてそれらのものを使ってみよう。自分自身かあなたの創作物の登場人物の記憶を呼び起こしてみよう。この仕掛けをふんだんに使ったウィリアム・フォークナーがかつて述べたように、

過去はけっして死なない。
それは過去ですらない。

著者の介入
そう読者よ、あなたのことです

著者の介入では、著者が語り手（たいてい全知の語り手）を飛びこえて読者に直接語りかける。これは物語の編集上のもくろみのためであったり、著者が自分の意見を述べるためだったりする（ストーリー上の出来事や登場人物を読者とともに観察する者として、あるいはより広く社会にコメントするため）。

ヴィクトル・ユーゴーは登場人物のひとりが吃音者であることを言いつのることを嫌悪し、読者も同じように感じると察してこう語る。

（筆者は一箇所だけ、トゥーサンの吃音のことをはっきり知らせておいた。この点について強調することは、以後しないことをお許しいただきたい。障碍者の発音をそのとおりに書くことには嫌悪感を覚えるのである。）（『レ・ミゼラブル』1862年、西永良成訳）

アンソニー・トロロープは場面の途中でいきなり人間本性について意見を述べ、それをヒロインの性格と結びつけてからストーリーにもどる。

男も女も人生に何度かどうしても打ち明け話をするように迫られる場面がある。打ち明けずにいるほうがかえって不快な決意を必要とするうえ、不快な疑惑を避けられない場合がある。男も女も決して打ち明けをしない人がいる。一時の成り行きで自分の秘密を明かすようなことをしない人だ。とはいえ、そういう人はたいてい退屈で、閉鎖的で、冷ややかな心の持ち主でしかない。まるで「冷たい、暗い坑道に住む陰気なノーム」のような人だ。エレナーにはノームのようなところはなかった。それゆえ、彼女はシャーロット・スタンホープに洗いざらいスロープ氏のことを打ち明ける決心をした。（『バーチェスターの塔』1857年、木下善貞訳）

もうひとつの介入のかたちが**第四の壁の破壊**である。芝居では、観客は舞台を囲む4つの壁のひとつとして機能している。登場人物たちがその世界の外に出て、こちらの世界にいる観客の存在を認めると、演技と現実の境界線がぼやけてくる。これは**メタフィクション**の形態で、作品がみずからの構造を認識して作品にコメントをするのだ。第四の壁の破壊は、著者が登場人物を通じて話しているような印象を与えることもある――しばしば寓話的あるいは風刺的な目的のために、腹話術の人形として登場人物を使っているかのように感じられる。物議をかもした例がシャーロット・ブロンテ『ジェーン・エア』にあり、主人公のジェーンが最終章の最後に読者へこう告げる。

読者よ、わたしは彼と結婚した。（シャーロット・ブロンテ『ジェーン・エア』1847年、大久保康雄訳）

独白は第四の壁を破壊するひとつの形式であり、長く豊かな歴史がある。シェイクスピアの作品のいたるところで、登場人物たちはおもに**劇的アイロニー**を生みだすためにアクションの外に出て、**モノローグ、わきぜりふ**（傍白）、**告白**を口にする。

　　「ごらんなさい、わが戦友はなにやら夢見心地だ」（マクベスを見ながらバンクォーが口にするわきぜりふ。木下順二訳）

　1986年の映画『フェリスはある朝突然に』では、フェリスがカメラをまっすぐ見すえてわたしたちに語りかける。

　　人生はすさまじいはやさですすんでく。ときどき立ち止まってあたり
　　を見まわさなきゃ、するりと逃げていっちゃうよ。

　同じような技法は、『天才少年 マルコム奮闘記』、『scrubs〜恋のお騒がせ病棟』、『ジ・オフィス』など現代のコメディドラマでも使われる。登場人物が偽のドキュメンタリーの形式をとりカメラに向かって話しかけるのだ。フィービー・ウォーラー＝ブリッジのコメディ『Fleabag フリーバッグ』[2016–2019] は、第四の壁を斬新な方法で破壊する──主役のフリーバッグことフィービーが、視聴者に向かって頻繁にわきぜりふを口にするのだ。たとえば、次にあげるのは最終シーンのひとつである。

　　神父「でも、ぼくはほんとうにきみの友だちになりたいんだ」

　　フリーバッグ「わたしもあなたと友だちになりたい」（カメラのほうを向く）

　　　「1週間しかもたないだろうけど」

　　神父「なんて言った？」

　　フリーバッグ「なに？」

　　神父「どこへ、いまきみはどこへ行っていたんだ？」

　　フリーバッグ「なに言ってるの？」

　フィービーが壁を破壊しているのが「見える」のは、番組の登場人物では神父だけということだ。

どの様式が使われているのか?
説明と描写

———————————

　ここまでで取りあげた要素——声、視点人物、フレーム——を組みあわせると、ナラティブができあがる。しかしそのナラティブの語り口は、やはりいくつかの**ナラティブ様式**——作者が選択できるフィクション執筆のカテゴリー——に限定される。特定の様式を好む作者もいるが、実験して混ぜあわせるのが好きな人もいるだろう。様式は、映画でいうところのシーンに相当する。

　ナラティブ様式ということばはさまざまに定義されるが、本書では次の5つに焦点を合わせる。

　1. **説明/要約**　その場面で提示されていない情報やコンテクスト。
　2. **描写**　五感から導き出された内容。
　3. **アクション**　登場人物がしていること。起こっていること。
　4. **会話**　登場人物たちが口にするせりふ。
　5. **思考**　登場人物自身の心のなかでのモノローグ。

　説明の目的は、ストーリーの核心に入る前に重要な登場人物と舞台を紹介することにある。読者や観客が登場人物を知り、のちの行動を理解できるように手助けする。説明部分でいらついて虫を押しつぶす男は、のちに車の運転中にキレるかもしれない。一方、クモの巣から虫を懸命に救い出そうとする男は明らかに共感力が高く、のちに別の登場人物を助ける理由がそこからうかがえるかもしれない。次にあげる例でトールキンは、ビルボ・バギンズを地元の謎めいた噂で取りまき、彼と結びつけられる「奇妙な」冒険のお膳立てをする。

　　ビルボといえば、大金持ちで大変人でしたし、それにかの驚くべき失踪事件と思いがけない帰宅の日から、ひきつづき60年、ホビット庄全体の驚異の的でありました。かれが旅から持ちかえった財宝は、今で

は土地の伝説となり、年寄り連がなんといおうと、一般には、袋小路のお山の下に縦横に走るトンネルには、宝物がぎっしりつまっていると信じられていました。それだけではないのです。今に至るまで衰えないビルボ氏の驚嘆すべき活力も噂の種でした。徐々に過ぎゆく時の歩みも、バギンズ氏にはなんの影響も及ぼさないように見えました。（Ｊ・Ｒ・Ｒ・トールキン『指輪物語』1954年、瀬田貞二・田中明子訳）

　描写は細部を「ふくらませる」ためのものであり、五感にもっぱら意識を向けることが多い。過度に描写的なナラティブは、たちまち冗長になりかねない。だがすぐれた作者は、この様式を使って読者を瞬時に熱中させるタイミングを心得ている。

　軽く窓ガラスが二、三度叩かれる音がして、彼の注意を窓の方に向けさせた。また雪が降りはじめていた。彼は眠たげに、雪片を見つめた。銀色で暗く、街灯の光の中を斜めに降り注いでいる。（…）そうか、新聞は正しかった。アイルランド全土に雪が降っている。暗くなった中部の平原の至るところに、木のない丘に雪が降っている。アレンの沼地<ruby>沼地<rt>ボッグ</rt></ruby>にもやさしく雪は降り、さらに西の方では暗くなったシャノン川の荒々しい波に、雪が降り落ちては消え入っていった。マイクル・フューアリーが埋葬された丘にある、寂しい墓地の至るところにも、雪が降っていた。歪んだ十字架や墓石の上に、小さな門の上に並んだ鉄格子の槍先に、貧弱な植物の棘の先に、雪は舞い落ち、厚く降り積もってゆく。（ジェイムズ・ジョイス「死人たち」『ダブリナーズ』1914年、下楠昌哉訳）

50

アクション
そして何が起こったのか

アクションは、ストーリーでいま起こっていることを読者に示す文章上の様式である。これによってプロットが前にすすむ。

> クラリッサが仕事にいくとすぐぼくは書斎に入り、その日にクラリッサの名付け親のケイル教授とともにすることになっている誕生日のランチで渡すプレゼントを包んだ。それからバリーの手紙を全部集め、日付順にならべてバインダーに綴じた。長椅子に横になって最初からゆっくりとページをめくり、重要な文を探してマークしていった。それらの文をコンピュータに打ち込み、括弧内に手紙の日付とページを記した。最後に四枚分の抜き書きができたので三通のコピーをとり、それぞれプラスチックフォルダーに収めた。（イアン・マキューアン『愛の続き』1997年、小山太一訳）

このくだりで時間がどのようにスピードを変えているかに注目してもらいたい。創作指導が専門のメアリー・コールは、登場人物が野菜を切っている一節を例に描写（あるいは演劇の世界では背景の「所作」として知られるもの）とアクションのちがいを説明している。

> 文章におけるアクションとは、ストーリーに影響を与えるもののことである。アクションとは、主人公が別の登場人物と接触したり、障害に直面したり、目標達成のために努力したり、ストーリーの世界で何か重要なことをしたりして、ストーリーを前進させることだ。主人公が野菜を切っているとする。その行為が王の毒殺に使うシチューのためでないのなら——そしてこのアクションがついに王を裏切るという重大な決断の結果でないのなら——、それは所作であってアクションではない。

描写や説明と同じように、アクションも会話で伝えることができる。次

に引用する1937年のベストセラー『ナイルに死す』の一節で、アガサ・ク
リスティは、この作品全体のなかでもひときわ重要なアクションの瞬間を
描きだし、会話と心の声だけでプロットを前進させる。

　　　エルキュール・ポアロが髭を剃ったばかりの顔から石鹸を拭きとっ
　　ていると、ドアにすばやいノックがあり、レイス大佐が返事を待たず
　　に無言で入ってきた。
　　　大佐はドアを閉めた。
　　　そして言った。
　　「きみの直感があたった。本当に起きたよ」
　　　ポアロは背筋をのばして鋭く訊いた。
　　「何が起きたのです？」
　　「リネット・ドイルが死んだ——ゆうべ、頭を撃ち抜かれて」
　　　ポアロはしばらく黙っていた。ふたつの記憶が鮮明によみがえった
　　——ひとつは、アスワンのホテルの庭で、ジャクリーヌ・ド・ベル
　　フォールが息を切らしながら、険しい声で、「わたしの可愛いピストル

を頭にぴたっとつけて、この
指で引き金を引く」と言ったこ
と。もうひとつは、もっと新
しい記憶で、同じ声が、「なん
だかこんな日には、何かがぶ
つりと切れそうな気がする。
もうこれ以上耐えられない」と
言ったこと——そして、ふた
つ目の言葉のあとで、ジャク
リーヌが一瞬、何かを訴えか
けるような奇妙な色を目に浮
かべたこと。（黒原敏行訳）

アクションは読者をとらえ、プロットの先
へといざなう。

会話

彼が言って彼女は答えた

会話様式はふたり以上の登場人物の対話を描く。

物語の時間は圧縮された時間である。全人生をわずか90分で語ることができ、それでもなぜか完結しているように感じられる。印象的な会話の秘密は、この圧縮にある。（ウィル・ストー『*The Science of Storytelling*』2019年）

すぐれた会話は砂利のなかの金探しのようなものだ——作者は余計なものをすべてふるい落として価値ある塊金だけを残さなければならない。ロバート・マッキーは『ダイアローグ——小説・演劇・映画・テレビドラマで効果的な会話を生みだす方法』で、会話は説明、性格描写、アクションといったほかのナラティブの様式を支える役目を果たすべきだと書く。最低でもこのうちのひとつを支えていなければ、その会話は捨てる。

会話が展開するペースは、現実世界でもページの上でもほぼ同じである。だが会話はしばしばアクション・ビート、すなわち話者の動き、表情、態度、心の声を伝える短い描写によって中断される。それにタグ、すなわち「彼は言った」「彼女は尋ねた」というような短いフレーズ（シンプルであればあるほどいい）によっても途切れる。次にあげるのはスーザン・コリンズの例だ。

足音を立てずにタイルの上を歩いた。彼の背中からほんの1メートルほどの距離まで近づいてから声をかけた。

「眠ったほうがいいわ」

彼はびくっとしたが、振り向かなかった。首をわずかに横に振っている。

「せっかくのパーティーを見逃したくなかったのさ。だってぼくらのためのものだからね」

わたしは彼の横に並んで、手すりから身を乗りだした。大通りでは

大勢の人たちが浮かれて踊っている。彼らの小さな姿をよく見ようと、目を細めた。

「あの人たちは何かのコスチュームでも着てるの？」

「さあね」ピーターが答える。「ここではみんな奇妙な服ばかり着てるから。……きみも眠れないのかい？」

「いろんなことを考えてしまって」わたしは言う。

「家族のこと？」彼は尋ねる。

「いいえ」わたしはちょっと後ろめたい気がした。

「明日のことばかり考えてたわ。考えても仕方がないのに」(スーザン・コリンズ『ハンガー・ゲーム』2008年、河合直子訳、訳は一部改変した)

　次にあげるトルーマン・カポーティによる1965年の長篇小説『冷血』の例では、ティーンエイジャーの少女が電話で友人と話している。

「うーん。でも、うちではみんな、母のことでは明るい気持ちになってるのよ——あなたもいいニュース聞いたでしょ」それから、「あのね」といって、しばらくためらった。とんでもないことを口にする勇気を奮い起こそうとしているように。「わたし、いつも煙草のにおいがするような気がするんだけど、なんでなのかしら？　正直いうと、自分の頭がおかしくなったんじゃないかと思うくらい。車に乗っても、部屋に入っても、ついさっきまで誰かがそこで煙草を吸ってたみたいで。母じゃないし、ケニヨンのはずもないし。ケニヨンにそんな度胸は……」(佐々田雅子訳)

　この短いやりとりによって、話に出てくる人すべての特徴が示される。この会話は簡潔だが説得力がある。カポーティは明確にすべき重要な細部がどこかを心得ていて、時間をかけてその会話を強調する。

　会話を書く前に次の4つの質問を自分自身

に投げかけるといい。

1. この会話は必要？　性格描写やアクションに役立つ？　すべてのやりとりが場面を前進させる？
2. やりとりをすべて書く必要はある？　結論が出るところから会話を書きはじめることもできる？
3. この会話でそれぞれの登場人物は何を望んでいる？　はっきり述べられていることであれ、暗示されていることであれ、完全に隠されていることであれ、会話を前へすすめる何かがあるはずだ。
4. ここでの上下関係は？　だれが権力をもっていて、だれが弱い立場にいる？　権力は会話できわめて大きな位置を占める。だれがいつ話すのか、口を挟むのか、悪態をつくのか、いちばん長く話すのかがそれによって決まる。

思考
だれも知らない

　中心にいる一人称のナラティブでは、読者は語り手の思考にアクセスできる。**自由間接話法**を使うと、作者は一人称視点の恩恵を享受しながら三人称のナラティブにとどまることができる。これは三人称の語りとともによく用いられ、直接や間接の話法と会話は必要なくなる。

直接話法＝「どうしてフィービは黄色の靴を履いているの？」彼女は尋ねた。

間接話法＝どうしてフィービは黄色の靴を履いているのだろう？　彼女は不思議に思った。

自由間接話法＝ところで、いったいどうしてフィービは黄色の靴なんて履いてるの？

ジェーン・オースティンは自由間接話法使用の開拓者である。下に引用する1817年刊『説得』のくだりでは、読者はフレデリック・ウェントワース大佐の頭のなかにいる。「彼女は自問した」や「彼女は不思議に思った」というような会話のタグは捨てられ、文章に自然な流れがあって、思考が実際に生まれるさまを模倣しはじめる。

　　ウェントワース大佐はアン・エリオットを許してはいなかった。アンは彼にひどい仕打ちをしたのだ。彼を見捨て、彼を裏切ったのだ。さらに悪いことに、その行為によって、アンの性格の弱さが暴露されたのであり（…）（中野康司訳）

　著者の心を通して語るこの技法によって、登場人物がどう「感じ」何を「考えて」いるかをいちいち描写する必要がなくなる。

　　彼はだんだん睡れなくなった。阿片を飲んだり、モルヒネを注射してもらったりしたが、それでもいっこうらくにならなかった。半醒半睡の状態で感ずる鈍い憂愁が、はじめのうちはなにか珍しいもののように、彼の心持を軽くしてくれたが、やがて、それは明瞭な苦痛と同じく、いな、それ以上に悩ましいものとなった。（トルストイ『イワン・イリッチの死』1886年、米川正夫訳）

　自由間接話法の簡潔さは、とくに緊迫した状況ではスピード感も生む。次にあげるように、これはスリラーや犯罪小説で広く用いられている。

　　ミカエルはためらった。いまの彼にはリスベット・サランデルだけが頼みの綱だ。帰宅して、ミカエルが姿を消していることに気づいたら、彼女はどうするだろう？　ダウンジャケットを着たマルティン・ヴァンゲルの写真は、台所のテーブルに置いてある。彼女はつながりに気づくだろうか？　誰かに危険を知らせるだろうか？　だが彼女は素直に警察に通報するタイプではない。彼女がここへやってきて呼び鈴を押し、マルティン・ヴァンゲルにミカエルの所在を尋ねたりすれば、それこそ一巻の終わりだ。（スティーグ・ラーソン『ミレニアム1　ドラゴン・タトゥーの女』2005年、ヘレンハルメ美穂・岩澤雅利訳）

口にはしないが、主人公はこれから待ちかまえている可能性のある落とし穴を頭のなかで羅列する。そうすることでラーソンは緊張感をつくりだし、この状況における主人公の不安を読者に伝えている。

　内的モノローグとしての自由間接話法は、長たらしい回想のかわりになる。

> （今朝だって何かの委員会にいるはずだけれど、わたしは尋ねない）ピーターは違う。すべてを分かち合わないと気がすまない。何から何まで知りたがって、もう息が詰まりそう。だからあの小庭園の噴水わきでああなったとき、別れるしかなかった。別れなければ共倒れ、二人そろって身の破滅。（ヴァージニア・ウルフ『ダロウェイ夫人』1925年、土屋政雄訳）

　思考は英語ではイタリックで活字に組まれることもある。*Shall I maybe show an example here?*〔ここで例をひとつ示そうかな？〕思考をイタリックで記すことで、ひと目見ただけでほかの文章ではなく自由間接話法だとわかる。編集者のラッセル・ハーパーは次の例をあげている。

> 「なぜ君は南部を憎んでいるの？」
> 「憎んでなんかいないさ」とクエンティンは、素早く、直ちに、即座に言った。「憎んでなんかいるものか」と彼は言った。**憎んでなんかいない**と彼は冷気の中で、ニューイングランドの鉄のような暗闇の中で喘ぎ（あえ）ながら考えていた、**憎んではいない。憎んでなんかいない！　憎んでなんかいるものか！　憎んでなんかいるものか！**（ウィリアム・フォークナー『アブサロム、アブサロム！』1936年、藤平育子訳）

内の吹き出し：
ベリーの味と深い土のほのかな香りがして、アーモンドの風味が強く感じられるね

それって青酸カリじゃないの

すべてをまとめてひとつにする
文体の諸要素

───────────

　ストーリーを語るのに必要な道具はすべてそろった。語り手の選択肢、焦点化、フレーム、ナラティブ様式。これらの道具をどう使ってナラティブ状況をつくるのか、それを決めるのはあなただ。

　　芸術は感情、直感、好みに大きく依存する。抽象画家がここやそこに黄色を置き、のちに茶色や紫や薄緑のほうがよかったと感じるのは、ルールではなく感性がそう告げるからだ。感性によって作曲家は調から不意に外れ、感性によって作家は文章のリズム、エピソードの起伏のパターン、さまざまな要素の調和を生みだす。会話はここまでにして、描写やここまでのおさらい、なんらかの身体的なアクションへ移る、といったことを決める。すぐれた作家には、こういうことについての直感がある。すぐれたコメディアンと同じように、誤ることのないタイミング感覚をもっている。そういう直感が作品の全部分に反映されている。象徴的構造の周縁部にある、最も目に見えにくいところにさえも。いつどこでサプライズを考えだして読者を驚かせるのか、ひときわすぐれた文章の特徴である想像力の驚くべき飛躍を見せるのかを知っている。（ジョン・ガードナー『*The Art of Fiction*』1983 年）

　見つけなければならないのは、あとひとつだけ──あなた自身の文体だ。文体が文章をユニークにする。ナラティブの声、様式、焦点化はオーケストラの楽器といえるかもしれない。指揮者はあなたであり、音楽がどう演奏されるかを決めるのもあなただ。ふたりの作家が同じナラティブのアプローチを使っても、生まれる作品の文体はまったく異なるかもしれない。真にすぐれた作家の多くはきわめて特徴的な文体をもっていて、文体だけでだれの作品かわかることもある。たとえば、オスカー・ワイルドの特徴である警句的な語りぶりと美への集中を見てみよう。

美しいものに醜い意味を見出す者は堕落していて不愉快だ。その行
　為は間違っている。
　　美しいものに美しい意味を見出す者には教養があり、彼らには希望
　がある。(オスカー・ワイルド『ドリアン・グレイの肖像』1890年、仁木めぐみ訳)
　ジョン・スタインベックは、アメリカらしいシンプルな構文と切りつめ
た散文によって彼とわかる。

　　小作人たちは、小さな家のなかで家財を選りわけた。父親のもの、祖
　父のもの。西への旅に備えて、持ち物を運んだ。過去が滅びてしまう
　と男たちは無情になったが、これからの月日、過去が泣き叫んですが
　りつくだろうと、女たちにはわかっていた。男たちは、納屋や物置に
　はいっていった。(ジョン・スタインベック『怒りの葡萄』1939年、伏見威蕃訳)
　児童書作家のジュリア・ドナルドソンは、2010年から19年の10年間、全
年齢層・全ジャンルで最も多くの本を売りあげた作家である。ユーモア、韻、
リズムを使ってナラティブを動かす独特の文体で若い読者をひきつける。

　　くらい　もりの　おくふかく、ネズミが　あるいておりました。
　　そこへ　キツネが　やってきて、ネズミは　ごちそうに　みえました。
　　「どこ　いくの、ちっちゃな　ちゃいろい　ネズミくん？　じめんの
　　したの　ぼくんちで、いっしょに　おひるを　たべないか」(ジュリア・
　　ドナルドソン『グラファロ』1999年、久山太市訳)
　文体は著者自身の個人言語と絡みあっていて、ガードナーが示唆するよ
うに作家の直感に由来する。すぐれた文章の「ルール」を知り、すぐれた作
家を知るのはいいことだが、それに縛られたり、まねようとしたりするの
は望ましくない。チャールズ・ブコウスキーの文体で文章を読みたい読者
は、チャールズ・ブコウスキーを読むだろう。読者が新しい作家のもとへ
やってくるのは、魅力的かつユニークで巧みに語られた物語を聞きたいか
らだ。たとえば次のページの練習問題を使ってナラティブへのアプローチ
を試してみるといい。自分に最もふさわしいアプローチを知り、自分の文
体をつくるのに役立つだろう。

ナラティブの練習問題
3部構成

『*Unthology*』誌で著述家のローリー・ウェストロンは、声、距離、視点を試すのに役立てるために、次の練習問題に取り組むことを作家にすすめている。

1. 子ども時代の出来事を当時の自分の視点から語ってみよう。昔の自分の身になって、当時と同じように世界を経験しようすること。子どもの声を使うのを忘れずに。

2. 大人になった自分の視点から、その出来事を描写しよう。その出来事と関係する状況について、当時は知らなかったけれどいまはわかることを考える。声はどのように変わるだろう？　より落ちついたもの、理解あるもの、怒りを含んだもの、哲学的なものになる？

3. 三人称の語り手を使って、その出来事を語ろう。語り手はアクションの一部であってもなくてもかまわない。彼あるいは彼女は冷静な目撃者かもしれないし、主人公に感情移入しているかもしれないし、問題を引き起こす人かもしれない。その選択によって、ストーリーの語りかたが変わる。

著者●エイミー・ジョーンズ

英国サマセットにあるストロード・カレッジで、英国トップレベルのシックス・フォーム（大学進学準備教育）課程の英語科の主任を務め、英語、文学、クリエイティブ・ライティングのほか、ポッドキャストのシナリオ作り、詩、物語論も教えている。著書に『物語のつむぎ方入門—〈プロット〉をおもしろくする25の方法』（創元社、本シリーズ）などがある。

訳者●山田 文（やまだ・ふみ）

翻訳者。訳書にキエセ・レイモン『ヘヴィ あるアメリカ人の回想録』（里山社）、ヴィエト・タン・ウェン編『ザ・ディスプレイスト 難民作家18人の自分と家族の物語』（ポプラ社）。共訳書にヨン・アイヴィデ・リンドクヴィスト『ボーダー 二つの世界』、ソフィー・エナフ『パリ警視庁迷宮捜査班 魅惑の南仏殺人ツアー』（いずれも早川書房）などがある。

物語のかたり方入門 〈ナラティブ〉を魅力的にする25の方法

2024年6月20日　第1版第1刷発行

著　者	エイミー・ジョーンズ
訳　者	山田 文
発行者	矢部敬一
発行所	株式会社 創元社

〈本　　社〉
〒541-0047 大阪市中央区淡路町4-3-6
TEL.06-6231-9010（代）　FAX.06-6233-3111（代）
〈東京支店〉
〒101-0051 東京都千代田区神田神保町1-2 田辺ビル
TEL.03-6811-0662（代）
https://www.sogensha.co.jp/

印刷所	図書印刷株式会社
装　丁	WOODEN BOOKS

©2024, Printed in Japan
ISBN978-4-422-21553-2 C0398

〈検印廃止〉落丁・乱丁のときはお取り替えいたします。